CHERS AMIS R
BIENVENUE DANS

Geronimo Stilton

L'ÉCHO DU RONGEUR
RÉDACTION

GERONIMO
STILTON

Texte de Geronimo Stilton.
Collaboration éditoriale de Viviana Donella.
*Coordination de textes d'*Alessandra Berello (Antlantyca S.p.A.) *et* Isabella Salmoirago.
Coordination éditoriale de Patrizia Puricelli.
*Édition d'*Alessandra Rossi.
Direction artistique de Iacopo Bruno.
Couverture de Roberto Ronchi *(dessins) et* Christian Aliprandi *(couleurs)*.
Conception graphique de Laura Dal Maso/theWorldofDOT.
Illustrations des pages de début et de fin de Roberto Ronchi *(dessins)*,
Ennio Bufi MAD5 *(dessin page 123)*, Studio Parlapà *et* Andrea Cavallini *(couleurs)*.
*Cartes d'*Andrea da Rold *(dessins) et* Andrea Cavallini *(couleurs)*.
Illustrations intérieures de Danilo Loizedda *(dessins)*, Antonio Campo *(encrage)*,
Daria Cerchi *et* Serena Gianoli *(couleurs)*.
Coordination artistique de Roberta Bianchi.
Assistance artistique de Lara Martinelli *et* Andrea Alba Benelle.
Graphisme de Michela Battaglin.
Traduction de Marianne Faurobert.

www.geronimostilton.com

Pour l'édition originale :
© 2016, Edizioni Piemme S.p.A. – Palazzo Mondadori, Via Mondadori, 1 – 20090 Segrate, Italie
sous le titre *Lo strano caso del ladro di cioccolato*.
International rights © Atlantyca S.p.A. – Via Leopardi, 8 – 20123 Milan, Italie
www.atlantyca.com – contact : foreignrights@atlantyca.it
Pour l'édition française :
© 2017, Albin Michel Jeunesse – 22, rue Huyghens, 75014 Paris
www.albin-michel.fr
Loi 49-956 du 16 juillet 1949 sur les publications destinées à la jeunesse
Dépôt légal : premier semestre 2017
Numéro d'édition : 22493
ISBN-13 : 978 2 226 39411 8
Imprimé en France par Pollina s.a. en avril 2017 - L80372

Geronimo Stilton

LE VOLEUR DE CHOCOLAT

ALBIN MICHEL JEUNESSE

SUPER ORGANISÉ ET SUPER PRÊT À SUPER TOUT !

Ce matin-là, je me trouvais sur le toit de *l'Écho du rongeur* : c'était mon tour de prendre soin de notre nouveau potager collectif. Quelle journée assourissante : les petits oiseaux gazouillaient sur les rameaux EN FLEURS… Une brise soufflait, légère… Le soleil resplendissait dans le ciel… J'étais en train d'arroser les plantes, et je m'exclamai, heureux :

– Ah, c'est une bien jolie saison que le printemps ! Si tranquille, si paisible, comme…

Mais je n'eus pas le temps de finir ma

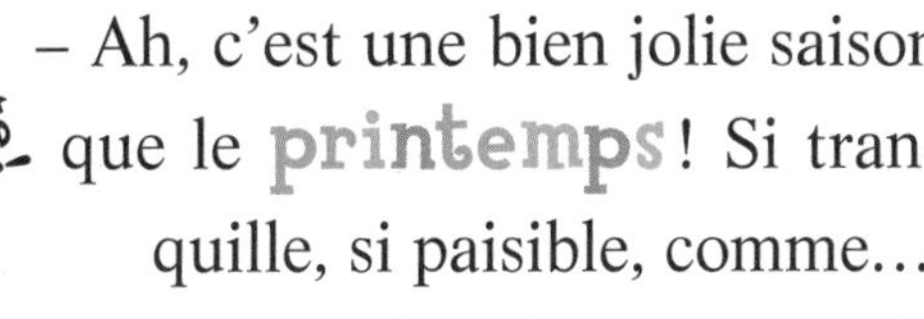

phrase, car Sourisette, mon assistante, me HURLA à l'oreille :

– Monsieur Stiltooon ! Qu'est-ce que vous faites encore ici ? Il est taaard !

J'avais la tête dans les nuages et je sursautai.

– Heeein ? Quoiii ? Scouiiit !

Puis je posai la PATTE sur un râteau qui traînait par terre, son manche se releva d'un seul coup et…

SBLAAAAAAAAAAAANG !

Il me cogna brutalement le museau ! **QUELLE DOULEUR !**

Étourdi par le choc, je titubai de-ci, de-là.

Sourisette cria :

– *Monsieur Stilton, attention à l'engrais...*

Mais il était trop tard ! Je trébuchai et je basculai à la renverse dans le sac de **FUMIER** derrière moi. Quelle déveine ! Quelle honte !

Pourquoi pourquoi pourquoi est-ce que ça tombe toujours sur moi ?

Mais... excusez-moi, je ne me suis pas encore présenté !

Mon nom est Stilton, *Geronimo Stilton*, et je dirige *l'Écho du rongeur*, le **journal** le plus célèbre de l'île des Souris. Et comme je vous le disais, ce **MATIN**-là, c'était mon tour de m'occuper de notre nouveau potager collectif, sur le toit de *l'Écho du rongeur*.

Nous en sommes tous très fiers : nous y cultivons FLEURS et LÉGUMES, et aussi quelques arbres fruitiers ; nous avons même plusieurs ruches pour les **abeilles**, qui produisent une petite quantité d'un miel délicieux !

Cela avait été une idée érapatante : nous avions récupéré un espace jusque-là abandonné, et cela nous permettait de travailler ensemble au GRAND AIR !

– Hem... Monsieur Stilton... j'espère que vous avez une tenue de rechange dans votre bureau, soupira Sourisette. Ce fumier... **PUE** !

Argh !
J'espère que vous avez une tenue de rechange…

Cramoisi de honte, je m'exclamai :

– Mais oui ! Je suis **SUPER ORGANISÉ** et **SUPER PRÊT** à **SUPER TOUT**, aujourd'hui !

Mon assistante me considéra, incrédule.

– Vous en êtes sûr ? Sûr sûr sûr ? Absolument sûr ?

– Évidemment, **SOURISETTE** ! C'est la fête du Printemps aujourd'hui : nous publions une édition spéciale de *l'Écho du rongeur* qui fera vibrer d'émotion les moustaches moustaches moustaches moustaches de tous nos lecteurs !

Sourisette **SOURIT**.

– Si vous le dites, monsieur Stilton ! Je suis tout de même montée pour vous prévenir que vous êtes en retard pour la réunion avec tous les collaborateurs.

À Sourisia, on fête le printemps en s'offrant de succulents œufs en chocolat !

Vous n'avez pas entendu mes appels ? Votre **portable** est peut-être éteint ?

Je vérifiai en toute hâte : *par mille mimolettes,* mon téléphone était effectivement éteint !

Je couinai :

– Mais quelle heure est-il ? Je suis en retaaard !

Et dire que ce matin je m'étais levé plus tôt pour réussir à tout faire dans le *calme*... La journée commençait à peine... et j'étais déjà en retard !

Scouit, quel désaaaastre !

UNE JOURNÉE INTEEERMINABLE !

Quand je descendis à la salle de rédaction, environné d'une nuée de mouches, mes collaborateurs protestèrent illico contre l'horrible odeur...

– Scouit, quelle **INFECTION** !

– Vite, ouvrez les fenêtres, on étouffe !

Je cherchai à filer en douce, l'air de rien, lorsque **SURGIT** mon cousin Traquenard.

– Geronim*ouette*, c'est toi qui f*ouettes* ? Geronim*ouche*, tu attires les m*ouches* ! Geronim*ier* tu te parfumes au fum*ier* ?

Je le suppliai de se taire :

– **Chut!**

Mais Sourisette annonça à haute voix :

– Monsieur Stilton est tombé dans un sac de fumier !

Tous se **TOURNÈRENT** aussitôt vers moi.

– Mais qu'est-ce qu'il a encore fabriqué ?

– Bah, monsieur Stilton fait parfois des trucs étranges...

Je rougis : scouiiit, quelle honte !
Traquenard se mit alors à BALANCER un tas de blagues sur les mauvaises odeurs et tout le monde rigola... sauf moi !
Puis il m'entraîna dans mon bureau et REFERMA la porte derrière nous.
Je changeai de vêtements tout en récapitulant toutes les choses que je devais faire :

Quelle est la plante la plus puante? C'est la plante des pieds, tiens!
Quel est le comble pour un putois? Ouvrir une parfumerie!
Pourquoi le mille-pattes pue-t-il des pieds? Parce qu'il n'a pas le temps de changer toutes ses chaussettes!
Ha ha ha!
Hé hé hé!
Quelle infection!
Heuuu...

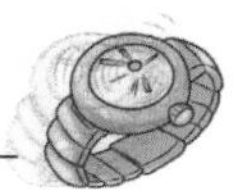

– Hem, hem, hem... alors : tout d'abord, il y a cette réunion de rédaction... ensuite, je **dois** appeler le maire pour l'interview... après, je **dois** aller en ville pour la chasse aux œufs... et puis je **dois** aussi écrire un article sur l'exposition des œufs et sur l'œuf de Rabergé...

Mais Traquenard se mit les pattes sur les hanches et grogna :

– Ah non, Gero*mini*, ne te défile pas ! Maintenant, tu **dois** m'aider pour le concours d'œuf en chocolat !

Surpris, je répétai :

– Pour le **concours d'œuf en chocolat** ? Moi ? Mais pourquoi ?

Il s'écria :

– Mais parce que je ne peux pas tout faire tout seul, enfin ! Il me faut un **goûteur** !

– Quel rapport avec moi ?

– C'est évident, mon goûteur, ce sera TOI !

Je soupirai :

– Je suis désolé, je ne peux pas, j'ai trop de travail aujourd'hui…

C'est alors que mon ORDINATEUR se mit à hurler…

GEROMINIIIIIIIIIII !

De frousse, je m'emmêlai les pattes et me flanquai par terre en couinant :

– Scouiiit ! Qui a parléée ?

Traquenard ricana :

– Geronim*ard*, tu n'es qu'un gros trouill*ard* ! C'est Farfouin, en vidéoconférence sur ton ordinateur !
Je **CONSULTAI** mon ordinateur et je vis le museau de Farfouin Scouit, mon ami détective, qui occupait tout l'ÉCRAN !
Je lui demandai :
– Farfouin, qu'est-ce que tu fais là ?
– Très simple, Geronini, j'ai installé un *'tit* programme chouquette pour rester en contact avec

toi, mon meilleur *'tit pote* ! Grâce à lui, je peux t'appeler en une *'tite seconde* dès que j'en ai envie et quand j'ai besoin d'un *'tit coup de patte* pour résoudre un *'tit mystère*...

Traquenard en profita pour revenir à la charge :

– À propos de *'tit coup de patte*... il faut qu'il m'aide, Farfouin, dis-le-lui toi aussi !

J'essayai une fois encore d'expliquer que ce jour-là c'était impossible, en espérant que mon ami Farfouin me donne raison... Au lieu de quoi, il déclara :

– Geromini, fais un *'tit effort* ! Traquenard est enquiquinant... mais c'est quand même ton cousin ! Donne-lui donc un *'tit coup de patte* !

Je cédai alors :

– Bon, d'accord, Traquenard. Farfouin a raison : je vais t'aider. Vas-y, je te rejoindrai au concours d'œuf en chocolat dès que la réunion de rédaction sera terminée.

De joie, mon cousin se mit à danser la samba en chantonnant :

– Bravo, bravo, bravo, cousinou… tu mérites un gros bis*ou*… Youpi youpi *tralala*, je savais que je pouvais compter sur *toi* !
Tandis qu'il SORTAIT, je me sentis vraiment bien : ce que c'est agréable de rendre un ami heureux !
Mais Farfouin toussota :
– Hé, Geronimi, puisque tu lui donnes un *'tit* coup de patte à lui… tu pourrais me donner un *'tit* coup de patte à moi aussi ? Un *'tit* coup de patte, ça ne mange pas de pain !
Farfouin insista, en me fixant depuis l'écran de mon ordinateur :
– Allez, Geromini, j'ai besoin de toi pour résoudre un *'tit* mystère !

Par mille mimolettes, je ne pouvais pas dire non à un ami en difficulté !

Je m'exclamai :

– **Scouiiit ! Attends-moi, j'arrive tout de suite !**

Puis je soupirai. J'avais promis mon aide à Traquenard... en même temps qu'à **FARFOUIN** !

Hélas, quelque chose me disait que cette journée serait **longue**, **très longue**, et même **inteeerminable** !!!

FARFOUIN ET MOI, NOUS SOMMES TRÈS AMIS DEPUIS L'ÉCOLE MATERNELLE...
Tu veux une bananette ?
Merci !
Même si Farfouin s'amusait à me faire plein de blagues...
Bouuuh !
Aaah !
Au secours !
Hé hé hé !
Hi hi hi !!
Scouiiit !
... à la fin, nous rigolions toujours ensemble !

JE CONTRÔLE LA SITUATION !

Je respirai profondément et, après m'être assuré que j'étais habillé correctement, je me **DIRIGEAI** vers la salle de rédaction. **SOURISETTE** m'attendait devant la porte.

– Monsieur Stilton, nous sommes en retard sur le programme prévu ! Vous pensez pouvoir y arriver ? Vous avez l'air **FATIGUÉ**, et il n'est que 9 heures du matin ! Vous avez vraiment besoin de vacances !

Comment vais-je réussir à tout faire ?

– ***Je vais très bien !*** m'exclamai-je... avant de soupirer : Je contrôle la situation ! Seulement, il faut que je me dépêche, car j'ai promis à Farfouin de l'aider pour une affaire secrète et je dois goûter le **CHOCOLAT** de

Traquenard, et puis je dois confier la rédaction des articles à nos collaborateurs...

Sourisette m'arrêta d'un geste de la PATTE.

– J'ai compris ! N'ayez crainte, je vais m'occuper de ça !

Elle ouvrit la porte et nous entrâmes dans la salle. Mon assistante me fit un clin d'ŒIL, tapa quelque chose sur sa tablette et tous les événements de la fête du Printemps apparurent à l'écran, avec les noms des collaborateurs correspondants.

Je la regardai avec gratitude.

– Ah, Sourisette, qu'est-ce que je deviendrais sans vous ? À propos... pourriez-vous m'appeler un TAXI, s'il vous plaît ? Je dois rejoindre Farfouin à son bureau, et plus tôt j'y serai, plus tôt j'en reviendrai !

Elle secoua la tête, désolée.

– C'est la fête du Printemps, aujourd'hui !

– Hein ? Bien sûr, je suis au courant...

– Monsieur Stilton, le jour de la fête du

Printemps, la circulation des voitures est INTERDITE. Toute la ville est zone piétonnière, vous l'ignoriez ?

Scouiiit, j'avais complètement OUBLIÉ !!! À l'idée de devoir courir d'un côté à l'autre de la ville… je devins plus blanc qu'une mozzarella ! Jamais je n'arriverais à tout faiiire ! Mais POURQUOI POURQUOI POURQUOI est-ce que ça tombe toujours sur moi ?!

Sourisette haussa nonchalamment les épaules et s'exclama :

– Monsieur Stilton, servez-vous donc d'une *souricyclette* !

Sur ce, elle me colla dans les pattes le casque jaune fromage qu'elle met pour faire du vélo.

– Bonne balade, monsieur Stilton !

Bien sûr, les souricyclettes ! C'était une excellente idée ! Pourquoi n'y avais-je pas pensé ?

LES SOURICYCLETTES

C'est un service public de location de bicyclettes, qui vise à faciliter les déplacements en ville et à fluidifier la circulation tout en réduisant la pollution.
Dans chaque quartier de Sourisia, des bornes à vélos ont été installées près des parcs et des stations de transports en commun.
Le système de location est informatisé et géré par un ordinateur central !

DÉSESPÉRÉMENT… PARESSEUX !

Juste à deux pas de *l'Écho du rongeur* se trouvait une STATION avec des vélos à disposition.
Je m'approchai, et me demandai à haute voix :
– Mais comment fait-on pour en DÉVERROUILLER un ?
Derrière moi, une petite voix répondit :
– Insérez votre CARTE DE CRÉDIT dans la fente prévue à cet effet, s'il vous plaît !
Je me RETOURNAI.
– Oh, merci, c'est gentil à vous de…
Mais je ne terminai pas ma phrase… car derrière moi il n'y avait personne !
Je regardai autour de moi, perplexe.
– Mais… mais… qui a parlé ?
La petite voix répéta :

– Insérez votre carte de crédit !

Scouiiit ! J'entendais une voix, mais je ne voyais personne, comment était-ce possible ?

– *Hem… m-mais qui-qui me parle ?*

La **petite voix** haussa le ton :

– Station de souricyclettes n° 3737 ! Insérez…

Je me frappai le front de la patte : **quel nigaud !**

Tout était automatisé à présent : c'était la borne informatique de la station qui avait parlé !

Rassuré, je m'approchai pour introduire ma carte dans la fente qui clignotait.

La petite voix reprit :

– Geronimo Stilton ! Première utilisation du service ! Usager de niveau **« vraiment paresseux »**.

Je bafouillai :

– Hein ? Quoi ? Moi ? Euuuh… Bon… je n'en ai pas eu besoin jusqu'ici, mais je roule souvent en ***BICYCLETTE***, je…

Puis je réalisai que j'étais en train de me justifier auprès d'un ordinateur, et je souris ! **Quel nigaud !**

Mais voilà que… l'ordinateur poursuivit :

– Correction : usager de niveau **« désespérément… paresseux »**.

Je répondis :

– Hé… m-mais pourquoi ?

Une liste apparut à l'écran et la petite voix métallique continua :

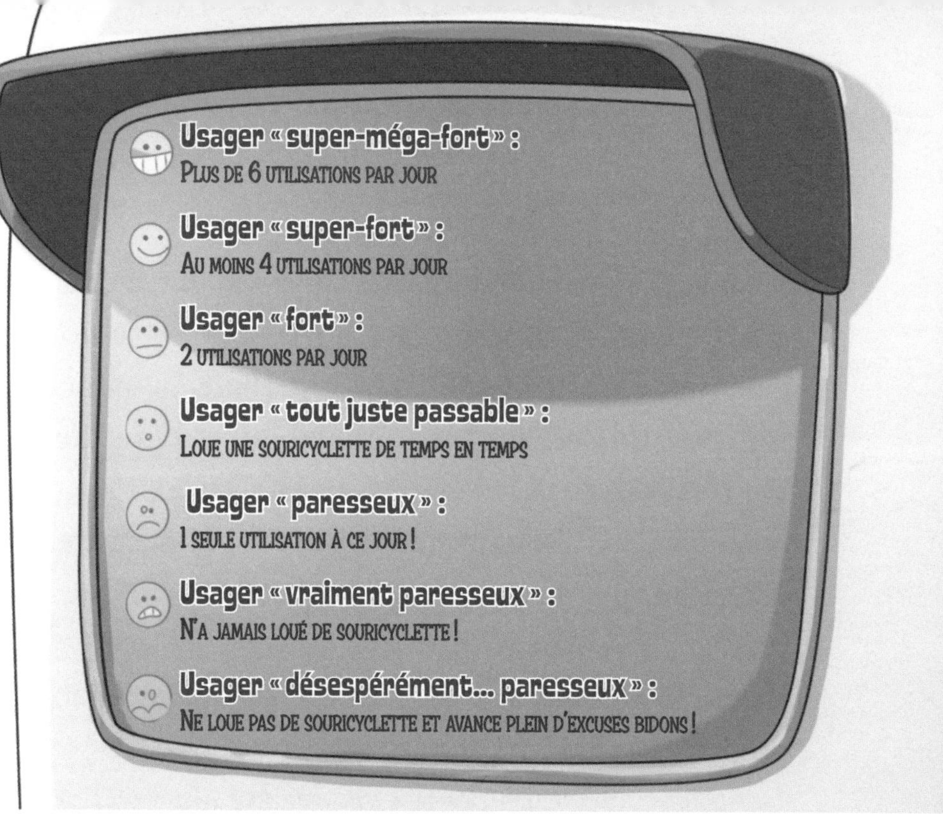

– Utiliser les souricyclettes est un signe de citoyenneté et de respect pour la nature. Cela contribue à réduire les **embouteillages** et la **pollution**, et en plus c'est un excellent exercice pour garder la forme et...

Piqué au vif, je rétorquai :

– Je sais très bien tout cela ! Comment puis-je améliorer mon niveau ?

L'ordinateur énuméra les *instructions* :

– Activez immédiatement un abonnement d'une durée minimale de deux ans, mais si possible de cinq ans, avec triple utilisation quotidienne pour un total de soixante heures hebdomadaire de **pédalage**…

Scouiiit, il ne s'arrêtait plus ! Et moi qui étais en retard ! C'est ainsi que, **précipitamment**, je répondis :

– Oui, oui, d'accord, mais s'il vous plaît, laissez-moi prendre un vélo !

La petite voix déclara alors :

– ***Abonnement activé !*** Montant débité ! Félicitations, Geronimo Stilton : vous êtes le premier à souscrire à la formule

SUPERMÉGAMAXIDELUXE !

La borne recracha ma carte de crédit, ainsi qu'un ticket **interminable** !

Scouiiit, la formule supermégamaxideluxe m'avait coûté cher !

Mais je n'avais plus le temps de me lamenter : je mis donc le casque, j'enfourchai le VÉLO et... je me mis à *pédaler* de toutes mes forces !

L'ŒUF DE RABERGÉ A DISPARU !

Je *pédalai pédalai pédalai*, et rapidement je me mis à tirer la langue... Scouiiit ! J'avais sous-estimé mon manque d'entraînement ! J'étais fatigué, éreinté, **essoré** !
Par mille mimolettes... la journée ne faisait pourtant que commencer !

Après des *milliers* de coups de pédales à toute allure, j'aperçus le port de Sourisia !

Enfin, j'étais arrivé !

Je tournai à droite et, soudain, en respirant à fond avant d'affronter une petite côte, je sentis un doux parfum de cancoillotte vanillée... *Par mille mimolettes*, d'où cela pouvait-il bien venir ?

Mais à ce moment précis, mon téléphone SONNA et je ne réfléchis pas davantage. Je m'arrêtai pour répondre.

– Ben alors, Geronimi, tu ne serais pas en train de *grignopigner**, par hasard ? Parce que je t'attends, moi !

Je soupirai :

* *« Paresser », dans le langage de Farfouin.*

– J'arriiive !

Par chance, je trouvai sans tarder une STATION où laisser le vélo, et peu après je **FRAPPAI** à la porte du bureau de mon ami. Une voix s'exclama :

– Mot de passe !

Je répondis :

– Farfouin, c'est moi !

La VOIX demanda :

– Qui ça, moi ?

– Moi, Geronimo !

– *Geronimo qui ?*

– Geronimo Stilton ! Mais enfin, qui veux-tu que ce soit ? C'est toi qui m'as demandé de venir !

La porte s'ouvrit toute grande sur un FARFOUIN râleur.

– T'aurais pu le dire tout de suite, que c'était toi, Geronini ! Ce temps que tu me fais perdre, ah la la...

Je poussai un soupir résigné et j'entrai.

Le bureau de mon ami **détective** était, comme

toujours, la demeure du chaos. Depuis quand n'avait-il pas fait la **poussière** ? Je commençai à me **gratter** partout (*l'endroit était-il infesté de puces ?*).

Quand je voulus m'asseoir dans le fauteuil, je vis qu'il était environné de moucherons (*on n'avait pas dû l'aérer depuis un siècle !*).

Je fis un pas vers le bureau devant lequel Farfouin trônait, mais je posai la patte sur une chose **GLISSANTE** (*était-ce une peau de banane jetée par terre ?*) et…

SBLAAANG !

Au secouuurs !
Vouutch !

Hé hé hé !

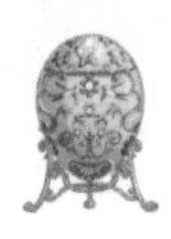

Je fis un long vol plané avant de m'écraser sur le sol !

Quelle glissade ! Quel choc ! Quelle douleur !

Je m'écriai :

– Enfin, Farfouin, tu ne pourrais pas faire un peu de ménage ?

Mon ami secoua la tête et me rétorqua :

– T'es vraiment un *'tit* tatillon, **Geromini** ! J'ai trop de boulot, qu'est-ce que tu crois ?

Je me relevai.

– Bon, bref… Vas-tu enfin me dire pourquoi tu m'as fait venir jusqu'ici ?

Farfouin s'**exclama** :

– Ah, quand même ! Tu as vu ta sœur **Téa** hier ? Je lui ai fait porter un panier plein de bananes bien sucrées… Elle t'a dit un truc ? Elle t'a parlé de moi ?

J'ai touché son cœur ? Allez, dis-moi, Geronimi !
Ah, elle est trop belle, Téa !
Je blêmis.
– **DE QUOI DE QUOI DE QUOI ?** Tu m'as fait venir jusqu'ici pour me parler de ma sœur ?
Farfouin prit la mouche :
– C'est pas très gentil de ta part, Geronimi ! Je te demande juste un *'tit* coup de patte, avec ta sœur…
Je **GLAPIS** :
– Ça suffit ! Je m'en vais, j'ai un tas de choses à faire…
Mais Farfouin protesta :
– Ah-ah ! Alors tu refuses de m'aider à retrouver l'**ŒUF DE RABERGÉ** !
Je me figeai, perplexe.
– L'œuf de Rabergé ? C'est le clou de l'**exposition des œufs** qui sera inaugurée ce soir, l'événement le plus important de la fête du Printemps ! Il est au musée… Moi aussi, j'ai hâte de l'admirer !
Farfouin chicota :

– Mais puisque je viens de te dire qu'on l'avait **carafagé***, cet œuf ! **Ramone un peu tes conduits acoustiques**** ! On doit filer au musée pour démarrer l'enquête !

Je pâlis.

* « Volé », dans le langage de Farfouin.
** « Écoute bien ».

L'ŒUF DE RABERGÉ

Rabergé est l'un des plus célèbres joailliers de tous les temps ! Il a parcouru le monde et appris toutes les techniques de façonnage des métaux précieux... Au cours de ses voyages, il est passé à Sourisia au moment d'une fête du Printemps ! Lorsqu'un souriceau lui fit cadeau d'un œuf en chocolat, il décida de lui rendre la pareille en fabriquant un œuf spécial : un œuf-bijou en or massif, orné de rubis, de saphirs et d'émeraudes... Il s'amusa tant qu'il en fabriqua de nombreux autres par la suite, mais un seul d'entre eux nous est resté : le premier, le clou de l'exposition de notre fête du Printemps !

– *Par mille mimolettes,* **VOLÉ** ?! Quel désastre ! Tu ne pouvais pas le dire tout de suite ?!

Puis je réfléchis un instant, et je lui demandai :

– Nous pouvions nous retrouver directement au **musée** ! Pourquoi m'avoir fait venir jusqu'ici ?

Mon ami haussa les **épaules**.

– Tu m'as dit toi-même que tu me rejoignais ici ! Tu es si **PRESSÉ** qu'on ne peut jamais rien t'expliquer comme il faut... Et puis c'est une **JOURNÉE SANS VOITURE**, aujourd'hui, tu sais bien ! Je ne sais pas comment me déplacer, moi !

Scouiiit...

Mais pourquoi pourquoi pourquoi pourquoi est-ce que ça tombe toujours sur moi ?!

POUR LE TANDEM, PAYEZ LE SUPPLÉMENT, S'IL VOUS PLAÎT !

Je voulus prendre un TANDEM à la station des souricyclettes, mais la petite voix métallique m'arrêta :

– Pour utiliser un tandem, payez le supplément, s'il vous plaît !

Je PROTESTAI :

– Comment ? Mais j'ai déjà payé la formule supermégamaxi-deluxe !!! Ce n'est pas compris ?

La petite voix métallique répliqua :

– **Négatif ! Insérez**

votre carte de crédit dans la fente, s'il vous plaît !

J'introduisis donc ma carte (*encore !*), je payai (*encore !*) et la borne recracha un interminable ticket (*encore !*). *Snif !*

Et Farfouin et moi sautâmes sur le tandem…

Quelques coups de pédales plus tard, j'étais déjà fatigué, éreinté, **ESSORÉ** !

Au feu rouge, je me retournai vers Farfouin… et je le **VIS**, les pattes levées au-dessus des pédales, en train de lire tranquillement **son journal** !!!

– Scouiiit ! Pourquoi tu ne m'aides pas pour pédaleeer ?

Et lui :

– Par mille bananettes, Gero*mini*, ne fais pas le geignard*ou* !* Un peu d'entraînement, c'est bon pour toi ! Tu me remercieras, tu verras !

Cette fois-ci, j'allais m'énerver pour de bon, mais le feu passa au **VERT**, alors je me remis à pédaler !

* *« Se lamenter », en langage de Farfouin.*

Quand je STOPPAI devant le musée, je m'effondrai sur le guidon du tandem, épuisé !
Je murmurai avec le filet de voix qui me restait :
– Laisse-moi ici, Farfouin. VAS-Y, MOI, JE N'EN PEUX PLUS...
Mais nous n'eûmes pas le temps de récupérer ! **Grunzy de Pintor**, le directeur du musée, nous attendait avec impatience.
– Enfin, vous voilà ! SUIVEZ-MOI !!
Je trouvai cependant la force de lui demander :

– Exc… cusez-moi… arf… mais personne… ouf… ne surveillait l'œuf ?

Sans ralentir, il soupira :

– Bien sûr que si, quelle question ! Seulement, le gardien s'est endormi et ne s'est réveillé que quand je lui ai hurlé dessus après m'être aperçu du vol !

Entre-temps, nous étions arrivés (au pas de course !) dans la salle principale : dans l'air flottait un étrange parfum qui m'évoqua quelque chose… mais quoi ?

Grunzy de Pintor

Je fus rappelé à l'ordre par le directeur : il me montrait la vitrine qui jusqu'à la veille au soir abritait l'inestimable ŒUF DE RABERGÉ. Un ovale parfait avait été découpé dans la vitre.

L'ovale de verre encore intact était posé au sol. Farfouin sortit sa LOUPE de détective et s'approcha, l'air CONCENTRÉ.

Puis il déclara solennellement :

– Geromini, prends donc une *'tite* photo avec ton *'tit* portable !

Je m'approchai, intrigué, le téléphone à la patte.

– Tout de suite ! Où ça ? Qu'est-ce que tu as trouvé ?

Sans se démonter, il me dit :

– Rien pour le moment ! Mais je veux une PHOTO de moi en action, c'est pour Téa : quand elle va voir quel super détective je suis, elle va tomber **amoureuse** de moi !

Je m'écriai :

– Mais enfin, Farfouin, tu crois que c'est le moment ? Nous devons trouver des indices, sans quoi…

Mais je n'eus pas le temps de finir ma phrase : je trébuchai, le **téléphone** m'échappa des pattes…

(1) En voulant le rattraper, je m'élançai, m'écrasai

Mais enfin, Farfouin !
Prends donc une 'tite photo !
Vous croyez que c'est le moment ?

le museau contre la vitrine ② et je tombai par terre au pied de son socle de marbre ! ③

Le directeur expliqua :

– Cette vitrine est faite dans un matériau spécial : INCASSABLE, ***INDESTRUCTIBLE***, INDÉFORMABLE...

Farfouin secoua la tête.

– Et pourtant, le **Voleur** a réussi à la découper !

Le directeur confirma :

– Il doit s'être servi d'un diamant d'une grande

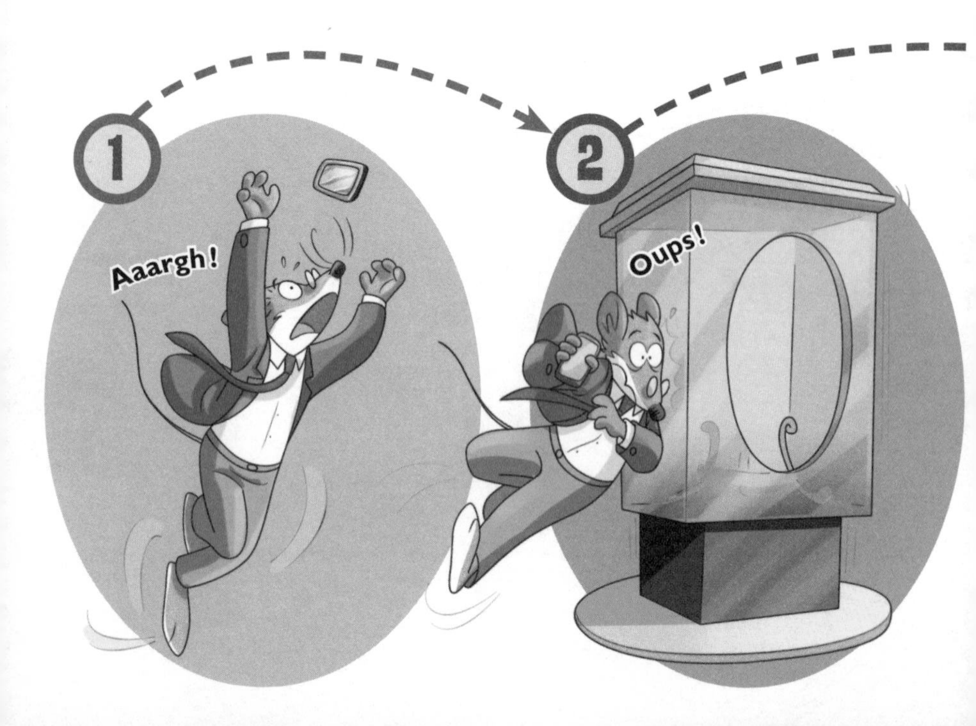

pureté ! C'est l'unique chose au monde qui puisse entamer ce matériau spécial !

Farfouin acquiesça :

– AH, C'EST DONC NOTRE PREMIER INDICE !

Et moi, toujours par terre, je m'exclamai :

– Et voici le deuxième ! Regardez !

Tous deux se TOURNÈRENT vers moi tandis que je désignais un long cheveu blond coincé à la base du socle ! Dans ma chute, je m'étais retrouvé

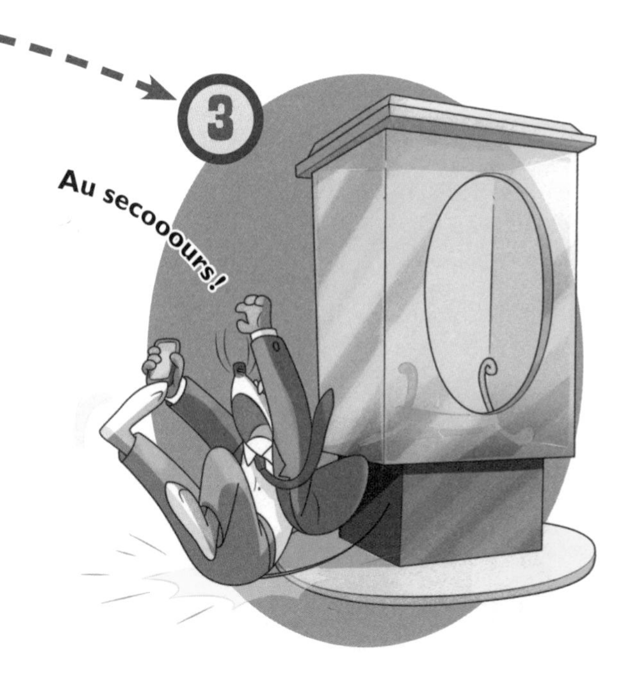

le museau au ras du sol, à quelques centimètres de ce cheveu : voilà pourquoi je l'avais repéré !
– *Par mille bananettes,* bravo, Geronimo ! Le voleur a donc de longs cheveux blonds, et aussi un diamant très pur ! L'affaire est (*presque*) résolue, on peut le dire !
– Disons plutôt que c'est un point de départ, dis-je en me relevant. Se procurer un tel diamant n'est pas donné à tout le monde… Il va nous falloir consulter un expert !
C'est alors que mon téléphone sonna.
La mine de Farfouin s'illumina.
– C'est Téa ?! Parle-lui de moi, allez !
Mais c'était Ténébreuse, je répondis donc :

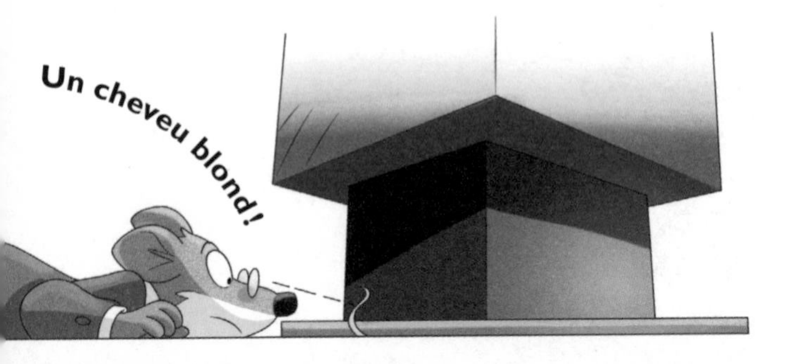

– Salut, Ténébreuse, que se passe-t-il ?

– Chou ! Mais où es-tu passé ? chicota-t-elle.

Tu ne viens pas à l'ouverture de la chasse aux œufs ?

– Euh... en fait... je suis un peu occupé pour le moment... je cherche un expert en diamants... pour une affaire... assez secrète...

Surexcitée, Ténébreuse COUINA :

– Oh, Chou, enfin ! Un diamant pour nos fiançailles ! Tu es un peu en retard, nous sommes déjà fiancés, mais c'est parfait quand même...

Je bafouillai :

– N-NON, NOUS NE-NE SOMMES PA-PAS FIANCÉS ! C'EST POUR UNE AUTRE RAISON... SECRÈTE...

– Ce que tu es timide, Chou ! Quoi qu'il en soit, tu n'as qu'à aller à la bijouterie la plus chic de la ville, « Bijoux clinquants & coûteux », et parler à monsieur Louis d'Or. C'est le meilleur. Oh, et

pour la monture de la BAGUE, je préfère l'or blanc, tu sais, cela reflète mieux la lumière de la pleine lune… Quant au diamant, choisis-en un **GROS**, et même **TRÈS GROS**, ça ne me dérange pas qu'il soit un peu tape-à-l'œil… À propos, à quand les *noces* ?

Je m'écriai :

– Excuse-moi, Ténébreuse, mais je suis pressé, reparlons-en une autre fois... D'accord ?

Je me tournai vers Farfouin, mais… mon téléphone sonna derechef.

Mon ami s'exclama :

– Si c'est Téa, dis-lui que je suis avec toi !

Exaspéré, je rétorquai :

– Non, ce n'est pas Téa ! C'est un message de Traquenard... Je fais un saut chez lui. Retrouvons-nous à la bijouterie !

LES DIX ÉTATS DU GOÛTEUR

Je remis mon casque, j'échangeai le tandem contre un vélo et je recommençai à pédaler, pédaler ENCORE... ENCORE... et ENCORE...

La foule avait envahi les rues de la ville : des souriceaux jouaient au cerf-volant, des rongeurs se promenaient en famille en dégustant une bonne GLACE, d'autres couraient s'inscrire à la chasse aux œufs... *quelle journée érapatante!*

L'espace d'un instant, j'oubliai tout ce que j'avais à faire...

Puis mon **portable**

Quelle jolie fête !
C'est le printemps !

se remit à sonner, une fois, deux fois, dix fois ! Scouiiit !!! Que se passait-il ?
Je m'arrêtai pour jeter un coup d'œil à l'écran et j'y vis défiler les messages **URGENTS**, et même **TRÈS URGENTS**, carrément **URGENTISSIMES** de mes collaborateurs ! Je fus obligé de répondre à tous, mais vraiment à tous, tous, tous, tous les messages !
Quand j'arrivai au Grand Hôtel, où avait lieu le **concours d'œuf en chocolat**, j'avais mal aux pattes (à cause du vélo), et aux doigts, et aussi à la tête, car j'étais resté en plein soleil pour écrire tous ces textos !

SCOUIIIT ! Comment allais-je pouvoir aider Traquenard et Farfouin en même temps avec ce **MAL DE TÊTE** ?
Je décidai alors d'expliquer à

Traquenard que j'étais trop mal en point pour pouvoir lui servir de goûteur. D'un pas incertain, je me dirigeai vers les cuisines, et alors que j'ouvrais la bouche pour lui exposer la situation... mon cousin y fourra aussitôt une tablette de chocolat !

– Geroni*mignon*, goûte-moi ça, c'est trop bon ! Chocolat au PIMENT extra-fort ! L'idéal pour mon œuf en chocolat, non ?

Sans attendre de réponse, il brandit une autre tablette.

– Tu le préfères à l'ail ? Ou à la bave d'ESCARGOT ?

Scouiiit ! Après dix tests extrêmement éprouvants, j'étais au bout du rouleau ! En plus d'un mal de crâne, j'étais maintenant en proie à une terrible nausée !

Mais pourquoi pourquoi pourquoi est-ce que ça tombe toujours sur moi ?!

Test n° 1 :

chocolat au piment…
effet surprise !

Test n° 2 :

chocolat à l'ail…
effet vertige !

Test n° 3 :

chocolat à la bave d'escargot…
effet nausée !

Test n° 9 :

chocolat aux prunes…
effet purge !

Test n° 10 :

chocolat à l'aubergine…
effet désespoir absolu !

Test n° 4 :
chocolat aux amandes…
effet langue râpée !

Test n° 5 :
chocolat au gruyère…
effet bouche pâteuse !

Test n° 6 :
chocolat aux carottes…
effet dégoût total !

Test n° 7 :
chocolat au citron…
effet burp !

Test n° 8 :
chocolat à la laitue…
effet migraine !

Traquenard m'apostropha :
– Alors, dis-moi, Geronimus, lequel tu préfères ? Allez, dis-le-mooi, dis-le-moooi !
Hélas, j'avais la bouche si **empâtée** de chocolat que j'étais incapable d'articuler un mot... Je ne pus que bredouiller :

– MIAM... BLOUB... GLOOORB... BUURRP !

Mon cousin, tout faraud, s'écria :
– Ah-aaaah ! Tu ne dis rien ??? Ils sont tous tellement bons que ça te coupe la chique, pas vrai ?! Génial, je vais donc utiliser les **dix parfums de chocolat** ! Mais... mais... mais... je n'ai plus d'amandes !
Je compris que je tenais là l'occasion pour me CARAPATER et rejoindre Farfouin. J'engloutis le contenu entier d'une CARAFE d'eau avant de pouvoir finalement hoqueter :

– T'inquiète (burp !), continue à cuisiner (burpp !), je fonce acheter des amandes (burppp !).

Et je décampai aussi vite que possible.

UNE BAGUE DE FIANÇAILLES ÉPOUSOURIFLANTE !

Comme ce fut pénible de *pédaler* avec tout ce chocolat qui me glougloutait dans l'estomac... **glou et glou glou et glou glou et glou glou et glou glou et glou glou et glou glou et glou glou et glou glou et glou glou et glou glou et glou glou et glou...**
Farfouin m'attendait devant la bijouterie.
– Enfin, te voilà, Geronimi ! Tu es juste un *tout 'tit peu* en retard !
En franchissant le seuil du magasin, nous fûmes frappés par un éclat doré, si flamboyant que nous dûmes plisser les **YEUX** pour ne pas être aveuglés !
Une vendeuse nous remit bien vite une paire de LUNETTES DE SOLEIL.

– Je vous en prie, voici de quoi vous protéger pendant que vous admirez nos inestimables bijoux !
Puis monsieur Louis d'Or, un rongeur d'une extrême élégance, s'approcha.
– Bonjour, je présume que vous êtes monsieur Stilton ? Mademoiselle Ténébrax m'a PRÉVENU…
Je sais exactement ce qu'elle désire !
Je bafouillai :
– Euh… en fait… je veux dire… bref… nous enquêtons au sujet d'un vol ! Auriez-vous par hasard

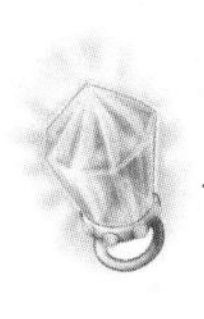

vendu récemment un diamant très pur ? À une rongeuse aux longs cheveux blonds, par exemple ?

Monsieur Louis d'Or secoua la tête.

– Non, pas de rongeuse blonde. Hier, cependant, une rongeuse fort distinguée, aux cheveux bruns coupés **TRÈS COURT**, a expressément demandé à voir le diamant le plus pur que nous ayons…

FARFOUIN demanda :

– Elle l'a acheté ?

– Non ! Je vais vous le montrer : il plairait sûrement à mademoiselle Ténébrax, et serait parfait pour une bague de fiançailles !

Je *murmurai* :

C'est le plus pur que vous ayez?
Absolument, il est très pur!

– Hem, merci, mais nous voudrions simplement y jeter un coup d'œil…

Mais quand monsieur Louis d'Or ouvrit l'écrin qui contenait la BAGUE, il devint soudain plus blanc qu'un petit-suisse !

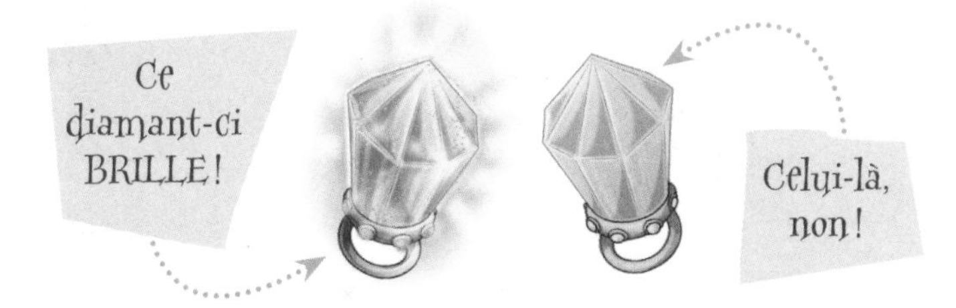

– Nooon ! hurla-t-il. Mais ce… ce n'est pas notre diamant ! Il ne brille pas ! Il n'étincelle pas ! Il n'éblouit pas ! C'EST… C'EST… UNE MÉDIOCRE COPIE !

Farfouin et moi échangeâmes un regard entendu.

– Cette cliente aux cheveux courts doit les avoir échangés quand vous lui avez montré le vôtre. Ensuite… elle l'a peut-être utilisé pour dérober l'ŒUF DE RABERGÉ en découpant avec le verre blindé qui le protégeait…

Farfouin interrogea monsieur Louis d'Or :

– Vous avez remarqué autre chose chez cette rongeuse ?

Le bijoutier se gratta les moustaches.

– Hem… elle m'a demandé s'il y avait une **herboristerie** dans les parages : je l'ai envoyée au supermarché bio tout près d'ici, qui dispose d'un rayon herboristerie.

Puis, rêveur, il murmura :

– Elle portait un de ces parfums…

Je sursautai.

– Un parfum ?

Il **soupira** :

– Ah, un parfum exquis de cancoillotte *vanillée*…

Mais déjà Farfouin m'entraînait dehors.

– Allez, assez débambulaté*, Gero*mini*, on fonce au « SUPERBio » !

* *« Perdre son temps », dans le langage de Farfouin.*

UN NUAGE DE PARFUM À LA CANCOILLOTTE

Le supermarché bio se trouvait au bout de la rue, et nous y **ARRIVÂMES** au pas de course. Je dus faire une courte pause pour répondre aux messages de mes collaborateurs de **l'Écho du rongeur** : j'avais un journal à diriger, moi, tout de même !
Je me remis en marche en pensant à autre chose...

et je ne vis pas que la porte du magasin était… **FERMÉE** ! C'est ainsi que…

Je la heurtai de plein fouet. Je tombai le POSTÉRIEUR par terre, à demi assommé : c'était une porte en chêne massif !

Farfouin rigola :

– Geronimi, toujours aussi tête en l'air ! Tu t'es flanqué un joli gnon sur ta *'tite* caboche, hein ? Tu vas en avoir une belle *'tite* bosse !
Sniff, pourquoi pourquoi pourquoi est-ce que ça tombe toujours sur moi ?
Par **chance**, il n'y avait pas d'autres clients que nous au supermarché, et nous en profitâmes pour poser quelques questions au vendeur.
– Une rongeuse *élégante*, aux cheveux bruns très courts, est-elle passée ici, hier soir ?

Le vendeur secoua la tête.

– Euuh… non !

Farfouin tenta une autre question :

– Une rongeuse aux longs cheveux blonds, peut-être ?

Le vendeur marmonna :

– Euh… non plus !

Farfouin et moi avions le moral dans les chaussettes et le sentiment d'être bloqués dans une impasse !

Mon ami EXPLOSA :

– Mais enfin, il ne s'est rien passé de bizarre ? Rien de rien ?

Le vendeur réfléchit un peu, puis répondit :

– Bah, la seule chose étrange, c'est ce client très élégant en costume GRIS SOURIS, portant une mallette, qui était environné d'un nuage de parfum… de cancoillotte vanillée !

Intéressé, je m'exclamai :

– Du parfum ? De cancoillotte vanillée ?

Farfouin rugit :

– Waouh ! On chauffe ! Et qu'est-ce qu'il voulait, ce *'tit* **malin** ?

Le vendeur expliqua :

– Il m'a demandé quelles tisanes on utilisait pour lutter contre l'**INSOMNIE**, et il les a toutes achetées ! ***BIZARRE !***

J'eus une illumination.

– Hemmm... il cherchait peut-être de quoi endormir le gardien du **musée** ?

Farfouin approuva :
– **Ouais ouais ouais !** Allons-y !
Je me souvins alors de ce que j'avais promis à Traquenard.
– **Scouiiit !** Je dois d'abord trouver des amandes pour mon cousin !
Heureusement, il y avait un rayon de fruits secs dans le magasin et je pus acheter UN KILO d'**amandes**, avant de filer à la recherche d'une station de souricyclettes.

UN CHEF AU POIL !

Vingt minutes (*et quelques milliers de coups de pédales !*) plus tard, j'étais de retour dans les cuisines du Grand Hôtel de Sourisia, en tête à tête avec Traquenard !

– MAIS ENFIN, COUSIN, TU ÉTAIS PASSÉ OÙ ?

Je soupirai :

– Excuse-moi... Voilà tes **amandes**... Je dois y aller mainten...

Mais Traquenard, vif comme l'éclair, m'**enveloppa** dans un grand tablier !

– Pas d'histoires, tu vas te mettre au boulot toi aussi : on a un œuf en CHOCOLAT à préparer !
– M-mais… j'ai déjà tout goûté !
– Ouais, eh bien, là, j'ai besoin d'un aide-cuisinier ! Tu ne vas pas te DÉFILER, pas vrai ?
Je voulus protester, mais Traquenard fut plus rapide et il m'enfonça une toque de chef sur la tête. Elle était bien trop grande et me tombait sur les yeux : je n'y voyais plus croûte ! Puis il me flanqua entre les pattes un énorme livre de recettes : *Tout sur les œufs, et plus encore !*, en beuglant :
– ALLEZ ALLEZ ALLEZ, assez de bla-bla, à nous le premier prix du concours d'œufs en chocolat !
Scouiiit, le livre était si lourd qu'il m'échappa et… me tomba sur la patte !

AÏE ! QUELLE DOULEUR !

Quoi quoi quoi?

Je le ramassai, je l'ouvris et j'écarquillai les yeux.
– Traquenard, ce livre est plein de recettes à base d'ŒUFS... de poules, de cailles ou d'oies... mais je ne vois rien sur les œufs en chocolat !
Mon cousin blêmit.
– QUOI QUOI QUOI ?! Mais comment *on* va faire, alors, cousinou ?
J'étais PRESSÉ de rejoindre Farfouin (qui attendait mon aide), mais Traquenard aussi avait besoin de moi. Que faire ?
Je proposai :
– Pourquoi ne pas appeler un expert en chocolat pour lui demander conseil ?

Mais mon cousin se vexa :

– Un expert ? Je suis Traquenard Stilton, oui ou non ? Je tiens une rubrique culinaire dans *l'Écho du rongeur*, oui ou non ? Je suis un chef *au poil* ! On va très bien se débrouiller tout seuls !

Je soupirai… Pourquoi pourquoi pourquoi est-ce que ça tombe toujours sur moi ?

Nous nous mîmes donc au travail… au pifomètre !

Traquenard n'avait jamais moulé de chocolat… et moi non plus !

Scouiiit, ce n'est pas facile du tout ! Ah ça, non !

Nous fîmes plusieurs tentatives :

Le premier œuf penchait **À GAUCHE**,

le deuxième penchait **À DROITE**,

le troisième **S'EFFONDRA AU SOMMET**, comme un soufflé au fromage raté,

le quatrième **S'EFFONDRA À LA BASE**, comme un fromage blanc avarié,

le cinquième avait des **TACHES**, on l'aurait cru malade,

le sixième était **TROUÉ**, un vrai gruyère,

mais, finalement, le septième fut… **ACCEPTABLE**… comme ci, comme ça, mais bon. Quant à nous, nous avions du **CHOCOLAT** des oreilles à la pointe de la queue !

Notre œuf était vraiment **énorme** ! Pour être honnête, il était aussi loin d'être parfait… mais Traquenard assura :

– *C'est un chef-d'œuvre !*

Sans vouloir me vanter, je sais y faire, moi !

Puis il enveloppa l'œuf dans du papier doré, y ajouta un ruban avec un **gros nœud** et me déclara :
– Et voilà ! Apporte-le au jury sur la place, pendant

Il est parfait !
Euuuh…
CHEF

que je grignote un bon morceau de fromage et que je pique un petit roupillon – je l'ai bien mérité, avec toute la peine que je me suis donnée !
Je soupirai : j'aurais bien aimé moi aussi me reposer et grignoter du FROMAGE ! Si seulement !
Au lieu de quoi, je dus prendre l'œuf et foncer le charger sur une SOURICYCLETTE... Il fallait que je file au musée !

UNE MYSTÉRIEUSE RONGEUSE AUX CHEVEUX ROUX

J'eus une MAUVAISE surprise en arrivant à la station des souricyclettes : l'œuf n'entrait pas dans le panier du vélo ! Que faire ? J'avais besoin d'une REMORQUE !

La petite voix métallique de la borne annonça :

– Pour louer une remorque, insérez votre carte de crédit dans la fente, s'il vous plaît !

Je soupirai : quelle journée éprouvante ! Mais je n'avais pas le choix !

Alors j'introduisis ma carte (POUR LA TROISIÈME

FOIS !), je payai (POUR LA TROISIÈME FOIS !) et la borne recracha un ticket (POUR LA TROISIÈME FOIS !).

Snif ! Snif ! Snif !

J'accrochai la remorque au vélo, j'y posai l'œuf et je me remis à *pédaler* en tirant la langue pour foncer au musée !

POURQUOI POURQUOI POURQUOI EST-CE QUE ÇA TOMBE TOUJOURS SUR MOI ?

Farfouin m'attendait (une fois encore !) dans la rue, en compagnie du gardien : tous deux semblaient examiner les environs à la **RECHERCHE** de quelque chose… ou de quelqu'un !

Mon ami (détective) m'expliqua :

– Tout ce que le gardien se rappelle, c'est que juste avant de s'endormir il a bu le milk-shake au maroilles offert par une rongeuse aux cheveux roux qui venait d'une boutique ambulante garée là devant… La rongeuse a filé ensuite, en laissant

derrière elle un parfum de cancoillotte *vanillée*...

Je récapitulai :

– Hemmm... la vitrine a été découpée par une voleuse **blonde** avec une bague en diamant 1 ... La bague a été volée par une rongeuse aux cheveux **BRUNS ET COURTS** 2 ... Le gardien a été endormi par le milk-shake que lui a donné une rongeuse aux cheveux roux 3 ... Hem, et ces trois rongeuses avaient le même parfum de cancoillotte vanillée...

Farfouin couina :

– Et n'oublions pas le rongeur au **costume** gris 4 qui a acheté

les tisanes au SUPERBio : lui aussi sentait la cancoillotte à la vanille !

Puis il décampa.

– Je dois faire un *'tit* saut quelque part... On se retrouve à mon bureau !

Surpris, je le fixai.

– Et qu'est-ce que tu as à faire de si important, là, tout de suite ?

Il sortit l'énorme bouquet de roses jaunes qu'il tenait caché dans son dos.

– J'ai acheté un *'tit* cadeau pour Téa et je vais le lui offrir ! Avec des FLEURS aussi chouquettes, elle va me remarquer, ouais ouais ouais ! J'ai un

'tit **béguin** pour ta frangine, tu le sais, pas vrai? Allez, si je l'épouse, je serai ton *'tit* **beau-frère**! Scouiiit, malgré tout ce qui était en train de se passer, Farfouin ne pensait donc qu'à ma sœur?!

ARÊTES DE POISSON ET ŒUFS POURRIS

Heureusement, la **ROUTE** qui menait au bureau de Farfouin était en pente : pour une fois, je pouvais descendre en roue **libre** !

À mesure que j'approchais du **PORT**, les rues me semblaient plus désertes : tout le monde avait dû rejoindre le centre-ville pour l'inauguration de l'**exposition des œufs** !

Par mille mimolettes, sans l'œuf de Rabergé, ce serait un **DÉSASTRE** ! Nous devions absolument le retrouver à temps, mais comment ?

Perdu dans mes pensées, je ne m'aperçus pas que mon vélo prenait de la **VITESSE... DE PLUS EN PLUS DE VITESSE... TROP DE VITESSE !**

Je tentai de freiner, mais... hélas, les FREINS ne fonctionnaient pas !
La pente se faisait de plus en plus raide et le vélo roulait toujours plus VITE, tandis que la remorque avec l'œuf se déportait d'un côté et de l'autre !
J'allais m'ÉCRABOUILLER et finir en omelette de souris, avec des morceaux de l'œuf en chocolat de Traquenard !

BINGBADABANG !

J'atterris en plein dans une benne à ordures. POUAH ! QUELLE INFECTION !
J'étais plongé au beau milieu de peaux de banane, d'arêtes de poisson et d'œufs pourris... Berk !

Mais quand je me fus extirpé de la benne, surprise : je sentis un merveilleux parfum de cancoillotte vanillée. Était-ce le même parfum qu'utilisaient tous les personnages impliqués dans le vol de l'œuf de Rabergé ?

Je saisis mon portable pour prévenir Farfouin, mais… ma batterie était à plat ! Il ne me restait qu'une seule chose à faire : suivre cette traînée de parfum !

Le vélo étant tout DÉGLINGUÉ, je pris l'œuf sur mes

épaules et, sur la pointe des pattes, je me mis en **MARCHE** en direction du port, suivant des ruelles toujours plus sombres et étroites qui m'emmenèrent… jusqu'à la jetée.

Devant moi se dressait un grand **contai-ner*** : le parfum émanait de là !

Je rassemblai mon **COURAGE**, m'approchai de la porte et jetai un coup d'œil à l'intérieur… Ce que j'y vis me laissa bouche bée !

Car il n'y avait pas l'ombre d'une **bande de voleurs**

** Immense caisse de métal utilisée pour le transport des marchandises en bateau, train ou camion.*

dans ce container… En revanche, je vis une rongeuse que je reconnus aussitôt… C'était *Ombre*, la voleuse la plus rusée de l'île des Souris !

Scouiiit ! Il fallait que je fasse quelque chose, mais quoiii ?!

Quand soudain...

TOOOOOOUUUT ! TOOOOOOUUUT !

La sirène d'un bateau en partance me fit sursauter, et je me cognai le crâne contre l'**angle** de la paroi de métal : blaaang !

Surprise, Ombre se retourna.

– Stilton ? Geronimo Stilton ? Toi ? Ici ? **Scouiiit !**

Je me relevai, tout étourdi.

– Euuuh... rends-toi, Ombre, je te tiens !

Elle éclata d'un rire **GLACIAL**.

– Dès que le container sera chargé sur le bateau, je serai hors d'atteinte. À moi les mers du Sud ! Et la **fête du Printemps** sera gâchée !

Je lui demandai :

– Mais... mais... mais pourquoi veux-tu gâcher la fête ?

Elle répondit d'un ton acide :

– Pour une fois, cette fois au moins, j'espérais que quelqu'un m'offre un œuf en chocolat... Mais ça ne s'est pas produit ! Et ça ne se produira jamais, **PERSONNE NE PENSE À MOI !** Alors j'ai décidé de me servir toute seule et j'ai choisi le plus précieux des œufs... l'œuf de Rabergé !

Je réfléchis un instant et je lui dis :

– **Tu sais, les autres ne devinent pas toujours ce qu'on désire.** Il faudrait savoir l'expliquer, en parler... Si tu me l'avais dit, que tu voulais un **ŒUF** en chocolat, je te l'aurais offert, moi.

Elle secoua la tête.

– Je ne te crois pas, Stilton : **PERSONNE N'EST JAMAIS GENTIL AVEC MOI !** Et puisque je ne peux pas profiter de la fête du Printemps, les autres n'en profiteront pas non plus !

À cet instant, je la **REGARDAI** droit dans les yeux

et je lui tendis l'œuf en chocolat de Traquenard, avec un SOURIRE.
– Tiens, celui-ci est pour toi ! Ce n'est sûrement pas le plus beau ni le meilleur au monde, mais Traquenard et moi nous l'avons fait **ensemble** en y mettant tout notre cœur.
Ombre m'observa, méfiante.
– Et pourquoi tu veux me le donner ?

Je lui souris encore.

– Parce que je crois que tout le monde mérite une **seconde chance**... et un œuf en chocolat pour la fête du Printemps ! Pourquoi ne viens-tu pas au **musée** avec moi ? Tu pourrais restituer toi-même l'œuf de Rabergé !

Ombre saisit l'œuf en chocolat. Elle allait me dire quelque chose, lorsque autour de nous tout commença à vibrer ! Puis à se balancer ! Et enfin... à **monter** !

Je hurlai :

– Scouiiit ! La grue charge le container sur le bateau !

Et je me mis À GLISSER... À GLISSER... À GLISSER...

Terrorisé, je couinai :

– À L'AIIIDE !

Inexorablement, je dégringolais vers la porte restée ouverte du container, maintenant SUSPENDU au-dessus du sol : j'allais bientôt finir en galette de raaat !

Mais au dernier moment, la PATTE d'Ombre

Où est passée Ombre ?

me rattrapa et me ramena à l'intérieur du container, en sécurité ! **Scouiiit !** J'étais sauvé, mais… de frousse, je m'évanouis quand même !

Quand je revins à moi, j'étais allongé sur la jetée, mais… où était donc passée ***Ombre*** ?

En scrutant la mer, je vis flotter au vent ses **cheveux** blonds sur le pont du bateau qui quittait le **PORT** de Sourisia !

Ombre avait réussi à s'échapper une fois de plus !

Alors, à ce moment précis, j'aperçus non loin de moi… l'**ŒUF DE RABERGÉ** ! Ombre avait décidé de le rendre.

L'œuf en chocolat avait peut-être apporté un peu de **BONHEUR** au fond de son cœur !

J'AI PERDU L'ŒUF EN CHOCOLAT !

Je ramassai le précieux œuf de Rabergé, je récupérai un vélo à la station des souricyclettes et je FONÇAI vers le musée, en pédalant de toutes mes forces !

Farfouin ACCOURUT à ma rencontre.

– Mais enfin, Gero*mini*, j'arrête pas de t'appeler ! Où t'étais donc passé, *'tit* nigaud ?

Puis il vit ce que je tenais dans mes pattes et s'exclama :

– Par mille bananettes, tu as retrouvé l'œuf de Rabergé ! T'es un vrai *'tit* malin !

Nous entrâmes dans la salle juste à temps.

Le directeur installa l'œuf à sa place, dans une nouvelle vitrine… et un instant plus tard les portes s'ouvrirent au public !

Tout le monde était là ! Et quand je dis **tout** le monde, je veux dire absolument **tous** les habitants de Sourisia ! Tous étaient ravis de pouvoir admirer cette œuvre d'art, tous… sauf moi.

J'ÉTAIS PRÉOCCUPÉ.

Farfouin s'approcha.

– Qu'est-ce qu'il y a, Geromini, t'es pas content d'avoir résolu ce *'tit* mystère ?

– Si, bien sûr, mais… Je n'ai plus l'œuf en **CHOCOLAT** de Traquenard, j'ai dû l'offrir à Ombre ! Le concours d'œuf en chocolat va bientôt commencer, et il n'y a plus rien à faire… **Traquenard** va très mal le prendre !

Puis je sentis qu'on me tirait par la veste : je me retournai et je vis Benjamin, mon neveu, qui était venu au musée avec sa classe.

– Tonton, j'ai entendu ce que tu disais… Ne t'inquiète pas, il reste assez de temps !

– Merci, Benjamin, mais tu sais, il nous a fallu des heures, à Traquenard et à moi, pour préparer cet œuf en chocolat…`

Il me SOURIT.

– Bien sûr, parce que vous n'étiez que deux ! Pourquoi n'appelles-tu pas tous les amis à la rescousse, nous essaierons ensemble de faire un autre ŒUF ?

Je souris à mon tour.

– Bonne idée ! Je vais appeler Traquenard et tout lui expliquer… et puis

tante Toupie… et grand-père Honoré, et aussi Sourisette et les autres amis du journal… et Téa…

Farfouin couina, **surexcité** :

– C'est moi qui appellerai Téa !

Je me mis à rire :

– **D'accord, rendez-vous chez moi, dans ma cuisine !**

J'AMÈNE DU RENFORT, GAMIIIN !

L'un après l'autre, **tous** mes amis et parents arrivèrent chez moi.
Le premier fut Traquenard, sceptique.
– Personne ne saura faire un œuf **meilleur** que le mien !
Puis débarquèrent tante Toupie, grand-père Honoré, Chacal, Téa et Farfouin. Mon grand-père **RUGIT** :
– J'amène du renfort, gamin ! On est en nombre, on va y arriver, tu verras !
Sourisette **ENTRA**, sa tablette à la patte, suivie de toute l'équipe de *l'Écho du rongeur.*
– Monsieur Stilton, j'ai fait les courses en ligne, j'ai commandé plusieurs kilos de chocolat **bio** !
Chacun de mes **amis** avait apporté quelque chose

pour contribuer à la confection de l'œuf : casseroles, MOULES, spatules, sucre, épices rares, fruits confits de la meilleure qualité, et aussi du miel, de la pâte d'amande, des DÉCORATIONS sucrées…

Quels amis érapatants! Quelle famille merveilleuse! Quel rongeur chanceux je suis!

Quand nous fûmes tous là, Benjamin s'écria :

– Allez, **tonton**, dis-nous ce qu'on doit faire!

CASSEROLES

Le SILENCE se fit : tous attendaient mes instructions. Je m'éclaircis la voix :

– Hem... merci d'être venus, mes amis ! **Traquenard et moi, nous vous sommes reconnaissants pour votre aide...** Mais trêve de discours : vous connaissez tous mon ami Ramuntcho Cacao, n'est-ce pas ?

Tous acquiescèrent.

– Bien, c'est lui qui va nous GUIDER, afin que nous réalisions un œuf en **CHOCOLAT** épousouriflant !

Tous applaudirent la nouvelle avec enthousiasme (sauf Traquenard, qui marmonna : « **GROUMPF**, je suis meilleur que lui ! »).

Ramuntcho Cacao est le plus grand expert en chocolat de toute l'île des Souris.

Ramuntcho prit la parole :

– Très bien, mesdames les rongeuses, messieurs les rongeurs ! Ensemble, nous allons créer en un TEMPS record le meilleur

œuf en chocolat de toute la ville ! Ou bien je ne m'appelle plus Ramuntcho Cacao ! Vous êtes prêts ?

Tous répondirent en chœur :

– Ouiii !

– Alors au travail !

Et en un rien de temps, sous la direction de Ramuntcho, nous confectionnâmes un GIGANTESQUE et *succulent* **ŒUF EN CHOCOLAT** polychrome !

Traquenard grommela :

– Pas mal, pas mal... Grâce à ma supervision, vous avez réussi à faire du bon travail !

Ému, je m'exclamai :

– **Cet œuf est assourissant!** Et puisque nous l'avons préparé ensemble, nous l'appellerons...

Me voilà !
Au travail !
Voici le cacao !
Merci !
CACAO
D'après la recette...

Ça doit être délicieux !
Je t'aide !
C'est moi qui m'en occupe !
Chère Téa...
Ce que ça sent bon !
Là, c'est fait !

DOUX COMME L'AMITIÉ !

Nous chargeâmes l'œuf dans une brouette et nous mîmes en route. Nous arrivâmes place de la Pierre-qui-Chante quelques minutes avant que les JURÉS ne terminent leurs évaluations... il s'en était fallu d'un *poil*!

Notre œuf fit un effet **bœuf**, car il était vraiment énorme, richement décoré et de mille couleurs... Avec du glaçage, nous avions écrit dessus « L'œuf de

l'amitié » ! Puis les jurés le goûtèrent, prirent quelques notes dans leurs carnets et se retirèrent pour délibérer, sans rien dire…

Nous étions tous très émus, et nous nous tenions par les pattes, massés au pied de l'estrade.

Savoir savoir savoir si nous allions gagner…

Après plusieurs minutes qui durèrent une éternité, l'un des jurés revint sur l'estrade et déclara :

– Le vainqueur du concours d'œuf en chocolat de la fête du Printemps est… l'œuf de l'amitié de Traquenard Stilton et ses amis !

Le public applaudit chaleureusement, et Traquenard fut félicité, embrassé et congratulé.

Il répétait à tous :

– Merci, sans me vanter, je suis un as en chocolat… mais j'avoue que les autres, je veux dire mes amis et ceux de Geronimo, ont vraiment assuré…

Le vainqueur est
l'œuf de l'amitié !
Hourra !
Bravo !

La journée avait été longue, trop longue, et même interminable, mais elle en avait valu la peine, car elle s'était conclue de manière épousouriflante : par une victoire de l'amitié au goût suave…

Le goût si doux… du chocolat !

L'ŒUF EN CHOCOLAT

Voulez-vous vous aussi faire vous-même votre œuf en chocolat ? Voici une recette conçue exprès pour vous par Ramuntcho Cacao ! Qui vous recommande de vous faire aider par un adulte !

IL VOUS FAUT :

– 500 grammes de chocolat fondant ou au lait
– un moule à œuf en chocolat, en deux parties
– une surprise à mettre à l'intérieur
– un ruban de couleur

Faites fondre le chocolat au bain-marie, c'est-à-dire dans une petite casserole placée dans une plus grande remplie d'eau, que vous mettrez sur le feu.

Nettoyez les deux parties du moule, et séchez-les avec soin.

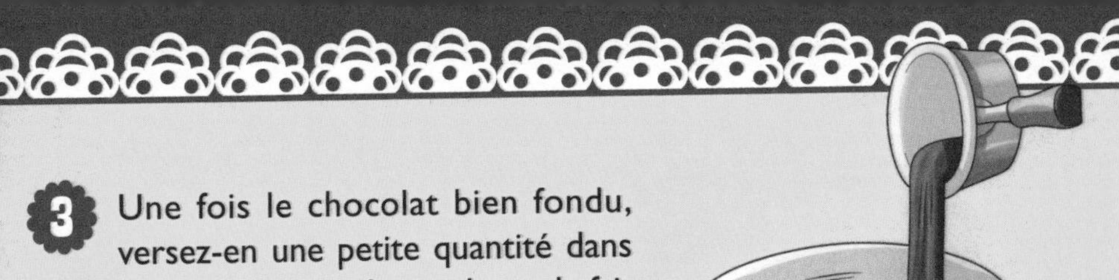

3 Une fois le chocolat bien fondu, versez-en une petite quantité dans les deux parties du moule, en la faisant doucement tourner, pour que le chocolat s'étale et se dépose uniformément sur toute la superficie.

4 Égouttez le chocolat excédant. Laissez refroidir une dizaine de minutes avant de répéter l'opération précédente (si le chocolat s'est figé dans la casserole, faites-le fondre de nouveau.)

5 Placez les deux parties du moule au réfrigérateur et laissez-les-y une bonne heure, pour que le chocolat durcisse bien.

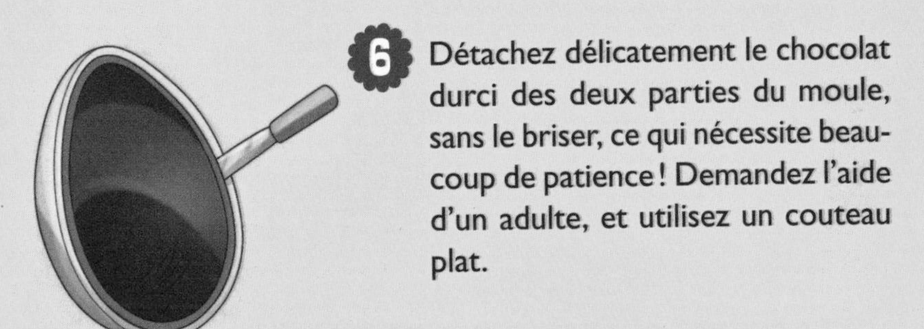

6 Détachez délicatement le chocolat durci des deux parties du moule, sans le briser, ce qui nécessite beaucoup de patience ! Demandez l'aide d'un adulte, et utilisez un couteau plat.

7 Insérez la surprise, rapprochez les deux moitiés de l'œuf et fermez-le en passant un peu de chocolat fondu sur la jonction avec un pinceau. Entourez-le d'un joli ruban coloré !

TABLE DES MATIÈRES

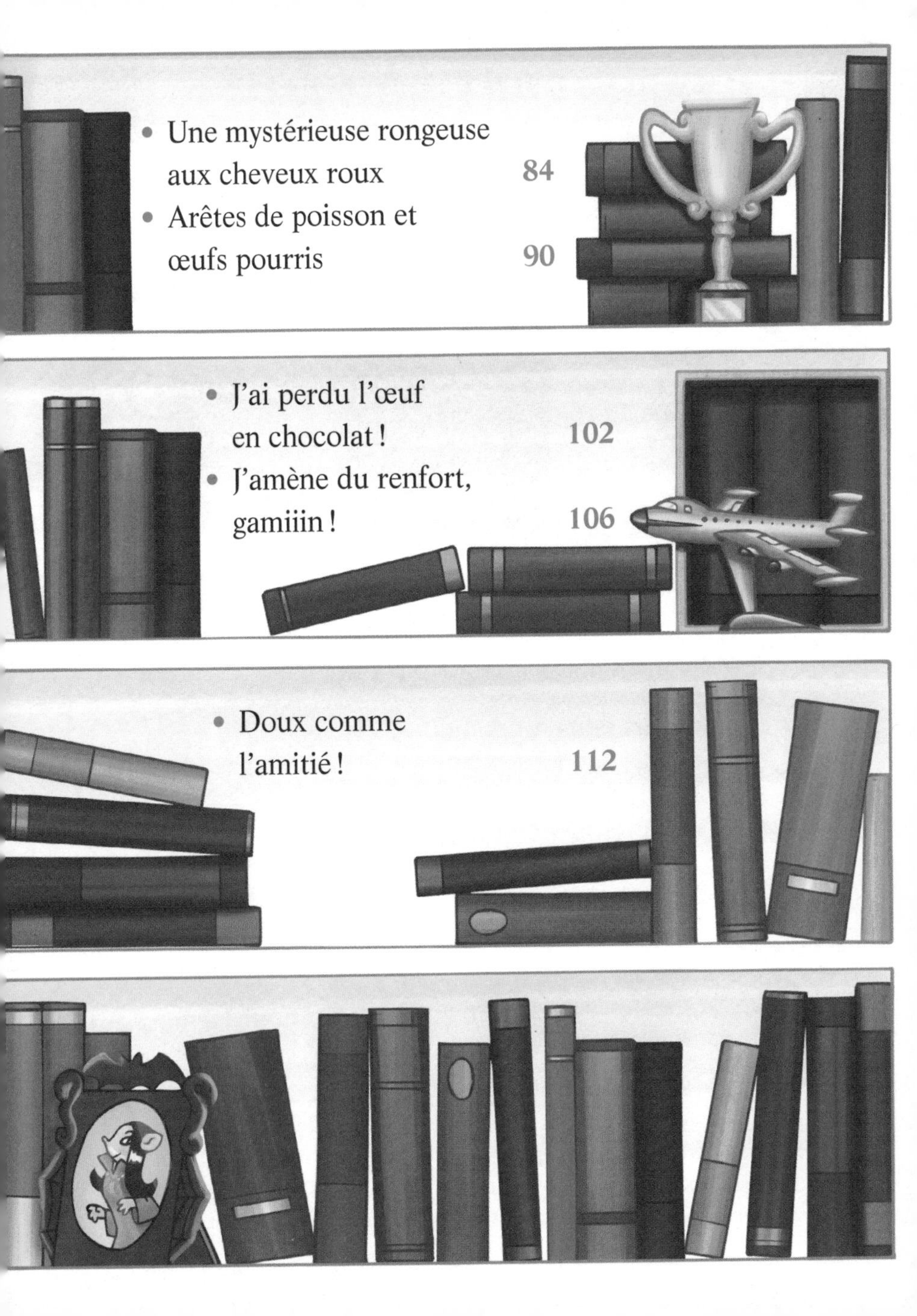

DANS LA MÊME COLLECTION

1 Le Sourire de Mona Sourisa
2 Le Galion des chats pirates
3 Un sorbet aux mouches pour monsieur le Comte
4 Le Mystérieux Manuscrit de Nostraratus
5 Un grand cappuccino pour Geronimo
6 Le Fantôme du métro
7 Mon nom est Stilton, Geronimo Stilton
8 Le Mystère de l'œil d'émeraude
9 Quatre Souris dans la Jungle-Noire
10 Bienvenue à Castel Radin
11 Bas les pattes, tête de reblochon !
12 L'amour, c'est comme le fromage…
13 Gare au yeti !
14 Le Mystère de la pyramide de fromage
15 Par mille mimolettes, j'ai gagné au Ratoloto !
16 Joyeux Noël, Stilton !
17 Le Secret de la famille Ténébrax
18 Un week-end d'enfer pour Geronimo
19 Le Mystère du trésor disparu
20 Drôles de vacances pour Geronimo !
21 Un camping-car jaune fromage
22 Le Château de Moustimiaou
23 Le Bal des Ténébrax
24 Le Marathon du siècle
25 Le Temple du Rubis de feu
26 Le Championnat du monde de blagues
27 Des vacances de rêve à la pension Bellerate
28 Champion de foot !
29 Le Mystérieux Voleur de fromage
30 Comment devenir une super souris en quatre jours et demi
31 Un vrai gentilrat ne pue pas !
32 Quatre Souris au Far West
33 Ouille, ouille, ouille… quelle trouille !
34 Le karaté, c'est pas pour les ratés !
35 L'Île au trésor fantôme
36 Attention les moustaches… Sourigon arrive !
37 Au secours, Patty Spring débarque !
38 La Vallée des squelettes géants

Et aussi...

Le Voyage dans le temps tome I
Le Voyage dans le temps tome II
Le Voyage dans le temps tome III
Le Voyage dans le temps tome IV
Le Voyage dans le temps tome V
Le Voyage dans le temps tome VI
Le Voyage dans le temps tome VII
Le Voyage dans le temps tome VIII
Le Grand Livre du Royaume de la Fantaisie
Le Royaume de la Fantaisie
Le Royaume du Bonheur
Le Royaume de la Magie
Le Royaume des Dragons
Le Royaume des Elfes
Le Royaume des Sirènes
Le Royaume des Rêves
Le Royaume de l'Horloge magique
Le Royaume des Sortilèges
Le Secret du courage
Énigme aux jeux Olympiques

Les Préhistos

1 Pas touche à la pierre à feu!
2 Alerte aux météorites sur Silexcity!
3 Des stalactites dans les moustaches!
4 Au trot, trottosaure!
5 Tremblements de rire à Silexcity
6 Un micmac préhistolympique!
7 Le Trésor de Piratrouk le Piraton
8 Peut-on adopter un bébé terriblosaure?
9 Écho du silex contre Radio-Ragot
10 Dans la lave jusqu'au cou!
11 Trottosaure contre huître géante
12 Poulposaure à bâbord!
13 Gare au gonfiosaure puant!

L'ÉCHO DU RONGEUR

1 Entrée
2 Imprimerie (où l'on imprime les livres et le journal)
3 Administration
4 Rédaction (où travaillent les rédacteurs, les maquettistes et les illustrateurs)
5 Bureau de Geronimo Stilton
6 Toit avec jardin biologique

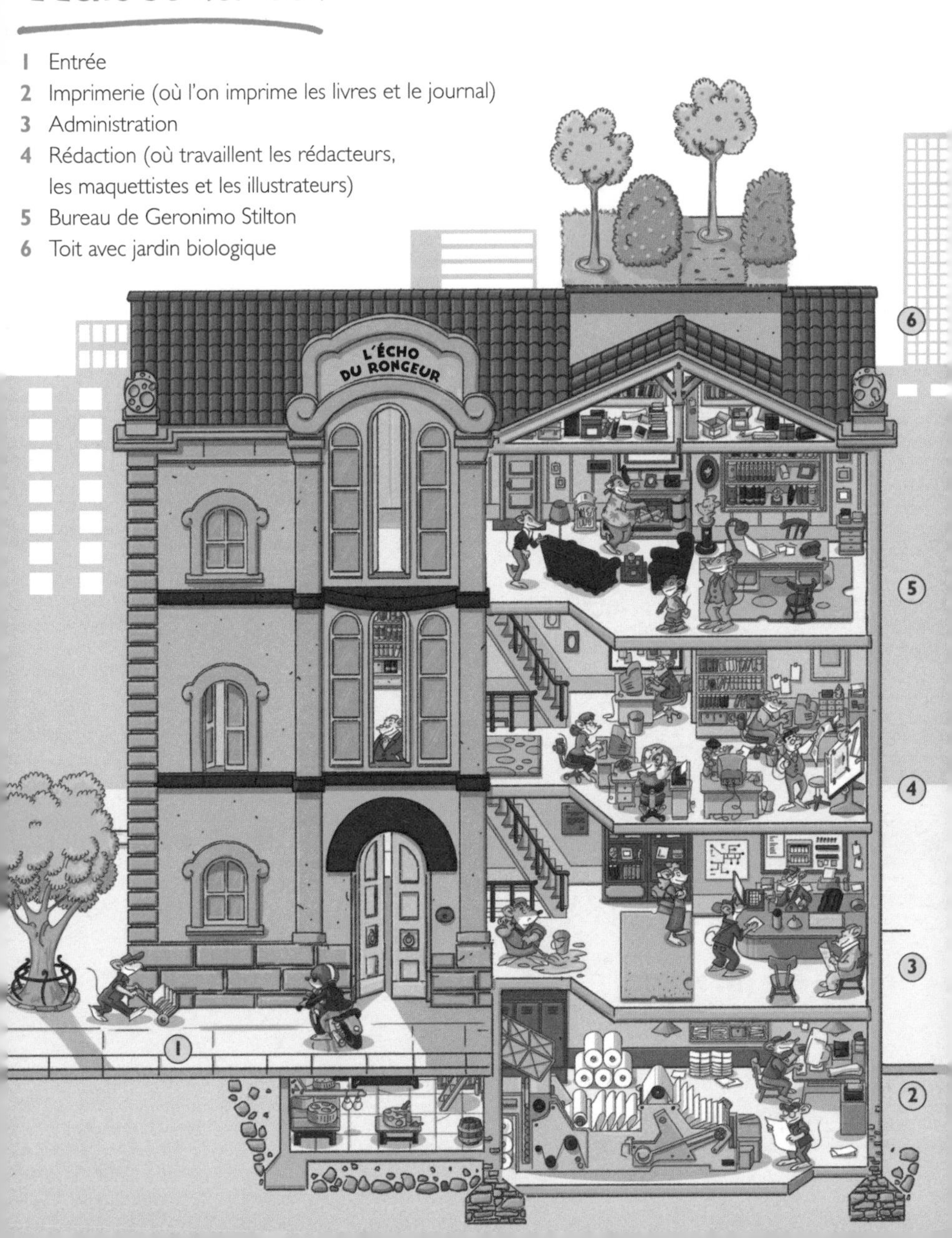

9
1
18
2
8
4
3
12
32
13
11
10
19
45
22
5
46
20
15
17
7
40
26
24
25
28
33
14
16
38
27
36
23
37
21
31
29
35
44
41
30
34
6
39
42
43

SOURISIA, LA VILLE DES SOURIS

1. Zone industrielle de Sourisia
2. Usine de fromages
3. Aéroport
4. Télévision et radio
5. Marché aux fromages
6. Marché aux poissons
7. Hôtel de ville
8. Château de Snobinailles
9. Sept collines de Sourisia
10. Gare
11. Centre commercial
12. Cinéma
13. Gymnase
14. Salle de concerts
15. Place de la Pierre-qui-Chante
16. Théâtre Tortillon
17. Grand Hôtel
18. Hôpital
19. Jardin botanique
20. Bazar des Puces-qui-boitent
21. Maison de tante Toupie et de Benjamin
22. Musée d'Art moderne
23. Université et bibliothèque
24. La Gazette du rat
25. L'Écho du rongeur
26. Maison de Traquenard
27. Quartier de la mode
28. Restaurant du Fromage d'or
29. Centre pour la Protection de la mer et de l'environnement
30. Capitainerie du port
31. Stade
32. Terrain de golf
33. Piscine
34. Tennis
35. Parc d'attractions
36. Maison de Geronimo Stilton
37. Quartier des antiquaires
38. Librairie
39. Chantiers navals
40. Maison de Téa
41. Port
42. Phare
43. Statue de la Liberté
44. Bureau de Farfouin Scouit
45. Maison de Patty Spring
46. Maison de grand-père Honoré

ÎLE DES SOURIS

1 Grand Lac de glace
2 Pic de la Fourrure gelée
3 Pic du Tienvoiladéglaçons
4 Pic du Chteracontpacequilfaifroid
5 Sourikistan
6 Transourisie
7 Pic du Vampire
8 Volcan Souricifer
9 Lac de Soufre
10 Col du Chat Las
11 Pic du Putois
12 Forêt-Obscure
13 Vallée des Vampires vaniteux
14 Pic du Frisson
15 Col de la Ligne d'Ombre
16 Castel Radin
17 Parc national pour la défense de la nature
18 Las Ratayas Marinas
19 Forêt des Fossiles
20 Lac Lac
21 Lac Laclac
22 Lac Laclaclac
23 Roc Beaufort
24 Château de Moustimiaou
25 Vallée des Séquoias géants
26 Fontaine de Fondue
27 Marais sulfureux
28 Geyser
29 Vallée des Rats
30 Vallée Radégoûtante
31 Marais des Moustiques
32 Castel Comté
33 Désert du Souhara
34 Oasis du Chameau crachoteur
35 Pointe Cabochon
36 Jungle-Noire
37 Rio Mosquito
38 Port-Croûton
39 Port-Souris
40 Port-Relent
41 Port-Beurk
42 Roquefort
43 Sourisia
44 Galion des chats pirates

1
2
3
4
5
6
7
8
9
10
11
12
13
14
15
16
17
18
19
20
21
22
23
24
25
26
27
28
29
30
31
32
33
34
35
36
37
38
39
40
41
42
43
44

AU REVOIR, CHERS AMIS RONGEURS,
ET À BIENTÔT POUR DE NOUVELLES AVENTURES.
DES AVENTURES AU POIL,
PAROLE DE STILTON, DE...

Geronimo Stilton